Encore Henri !

par EDITH VACHERON
et VIRGINIA KAHL

CHARLES SCRIBNER'S SONS, NEW YORK

NOTE

In French a dash is used before written con-
versation instead of quotation marks. The
French form has been followed in this book.

TABLE DES MATIÈRES

À LA CAMPAGNE

Henri et Michel vont
à la campagne.

Ils vont ensemble à la campagne.

Henri va faire
une visite à sa
tante.

Michel va faire
une visite
à ses
tantes.

5

La tante d'Henri habite une ferme.

Les tantes de Michel
habitent une ferme aussi!

La tante d'Henri a beaucoup de bêtes:
Elle a un cheval,

elle a une vache,

elle a
une tortue,

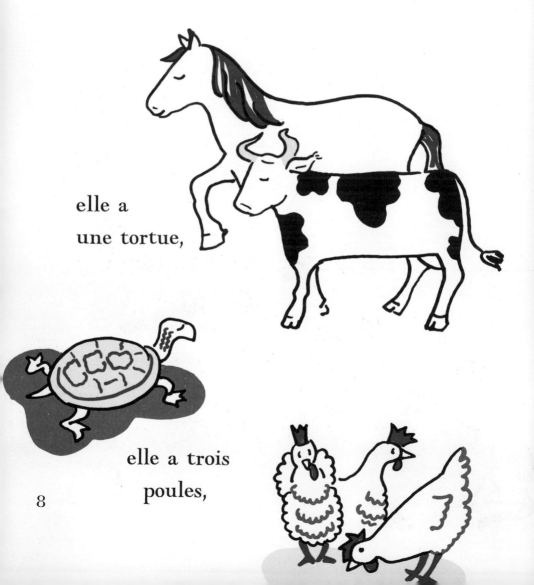

elle a trois
poules,

elle a six canards,

elle a dix lapins,

et elle a un chien.

Les tantes de Michel
ont une petite souris.

9

Henri et Michel se promènent
autour de la ferme.
Ils regardent de chaque côté.

—Regardez les bêtes,
Michel, dit Henri.
J'aime beaucoup les bêtes.
Aimez-vous les bêtes?

—Non! dit Michel.
Je déteste les bêtes!

11

—Mais, Michel, dit Henri,
ne dites pas ça!

Regardez le cheval!
Il est beau. Il est grand.
Il est fort.

—Je déteste les chevaux, dit Michel.
Ils sont trop forts!

—Alors, dit Henri, regardez la vache!
Elle est douce. Elle est bonne.
Elle est grande!

—Je déteste les vaches, dit Michel.
Elles sont trop grandes!

—Mais, Michel, dit Henri,
regardez donc la tortue.
Elle est petite. Elle est jolie.
Elle est lente.

—Je déteste les tortues,
dit Michel.
Elles sont trop lentes.

—Oh alors, dit Henri,
regardez un peu les poules
et les canards.

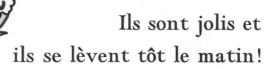

Ils sont jolis et
ils se lèvent tôt le matin!

—Je déteste les poules
et les canards, dit Michel.
Ils se lèvent trop tôt—
et d'ailleurs les canards
aiment l'eau!

—Mais regardez, Michel,
dit Henri. Voici un lapin,
un beau petit lapin.
Il est blanc; il est doux;
il est timide.

—Je déteste les lapins!
Ils sont trop timides!

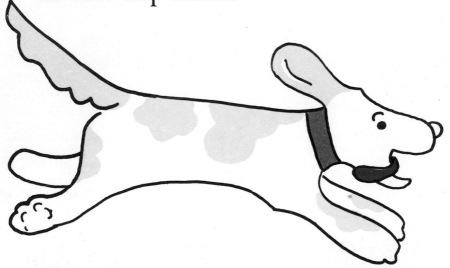

—Michel! dit Henri. Regardez le chien!
Il est brave; il est courageux; il est gentil!

—Oh, oh, oh! dit Michel.

Je les déteste!

Je déteste les chevaux;

je déteste les vaches;

je déteste les poules et les canards;

je déteste les tortues:

je déteste les lapins;

et je déteste surtout les chiens!

—Oh, mais alors, Michel, dit Henri.
Vous détestez toutes les bêtes!

—Ah non! dit Michel.
J'adore les chats!

LE DÉJEUNER

Henri et Michel déjeunent ensemble.
Ils déjeunent chez Henri.
Ils sont à table.

—Vous êtes gentil de m'inviter,
dit Michel. J'ai très faim.
Qu'est-ce qu'on a pour le déjeuner?

—Beaucoup de bonnes choses, dit Henri.
Commençons!

—Tiens! dit Michel. Qu'est-ce que c'est
que ça?

—Mais, c'est votre serviette, dit Henri.
Mettez la serviette autour de votre cou.

—Oh! dit Michel.

Il met sa serviette.

—Et voici la fourchette, dit Henri.

—A quoi ça sert? demande Michel.

—C'est pour manger l'omelette, répond Henri.

—Oh! dit Michel.

—Servez-vous du fromage, dit Henri.

—Où dois-je le mettre? demande Michel.

—Mais, sur votre assiette, naturellement!
répond Henri.

—Oh! dit Michel. Est-ce que je le mange
avec ceci?

—Non! Non! dit Henri.

Cela, c'est un couteau.

Un couteau sert à couper le pain!

—Tiens! dit Michel.

—Prenez de la salade, dit Henri.
Prenez de la bonne salade verte!

—Ah, merci! dit Michel.

Il regarde tristement son assiette.

—Qu'avez-vous? demande Henri.

Vous n'avez pas faim?

—Si, si! dit Michel. C'est seulement que...

—Ah, je comprends, dit Henri.

Vous avez soif! Passez-moi votre verre.

Je vais vous donner de l'eau fraîche!

—Non! Non! Merci! dit Michel.
Ce n'est pas nécessaire!
—J'insiste, dit Henri.
Il remplit le verre de Michel.

Michel regarde le verre d'eau.
Il regarde son assiette.

—Mais, mon pauvre ami!
dit Henri. Qu'avez-vous?
Ah, je comprends!
Vous êtes comme moi—
vous attendez le dessert!

—Oui, oui, c'est ça! dit Michel.

Henri va à la cuisine.
Il retourne avec de la
crème au chocolat.

—Voici le dessert, Michel! dit Henri.
Une bonne crème au chocolat! On la mange
avec la cuillère. Servez-vous!

Michel se sert de la crème au chocolat.

—Non! Non! Non! Michel, dit Henri,
ne mettez pas de crème au chocolat dans
votre tasse! On met du café dans la tasse!
—Ah, pardon! murmure Michel. Il prend
sa cuillère. Il met de la crème dans
la soucoupe.

—Non! Non! Non, Michel! crie Henri.
Vous êtes impossible! Mettez la tasse
dans la soucoupe; mettez de la crème au
chocolat dans le petit bol!

—Bien sûr, bien sûr! murmure Michel.

Henri finit son dessert.
Il dit à Michel, "Et maintenant, un peu
    de café?"

—Non, merci, dit Michel. Pas aujourd'hui.

—Est-ce que je peux vous offrir
autre chose? demande Henri.
—Peut-être, dit Michel.
Qu'est-ce que vous avez?

—Eh, bien,
j'ai de belles
pommes,

de grandes
oranges,

et de bonnes
poires, dit Henri.

—Oh! dit Michel. Merci,
mais pas aujourd'hui!
Il est tard. Je dois
rentrer à la maison.
Au revoir, Henri!
Merci!

Michel rentre chez lui.
Il prend un grand bol.
Il le remplit de lait frais et
crémeux. Il pousse un grand
soupir de contentement!

—Enfin! dit Michel,
et il commence à ronronner.

LES PILULES

Henri va
en ville.
Il marche très vite.

Michel va
en ville.
Il marche très lentement.

—Bonjour, Michel, dit Henri. Où allez-vous?

—Bonjour, Henri, dit Michel.
Je vais à la pharmacie.

—Oh? Pourquoi?

—Je vais chercher des pilules.

—Oh! dit Henri. Vous êtes malade,
mon pauvre ami! Est-ce que je peux
vous aider?

—Non! merci! répond Michel.

—Pouvez-vous marcher?

—Mais, naturellement! répond Michel.

—Dépêchons-nous, dit Henri.
La pharmacie est tout près.

Ils entrent dans la pharmacie.

PHARMACIE

—Bonjour, messieurs! dit le pharmacien.

Qu'est-ce que vous désirez aujourd'hui?

—Il nous faut des pilules, dit Henri.

—Ah? dit le pharmacien.

Il met ses lunettes.

Il regarde Henri.

—Eh, bien, mon garçon, dit-il,
avez-vous de la fièvre?

—Non, monsieur, répond Henri,
je n'ai pas de fièvre.

—Avez-vous mal à la gorge?

—Non, monsieur, je n'ai pas
mal à la gorge.

—Avez-vous chaud?

—Non, monsieur, je n'ai pas chaud.

—Avez-vous froid?

—Non, non, monsieur! répond Henri.
Je n'ai pas froid.

En effet, monsieur, je ne suis pas malade.
C'est mon pauvre petit ami qui cherche
des pilules!

—Oh! dit le pharmacien.
Il ôte ses lunettes.
Il regarde Michel.

—Eh, bien, mon petit, dit-il,
avez-vous de la fièvre?

—Mais non! répond Michel.
Je n'ai pas de fièvre!

—Alors, avez-vous mal à la gorge?

—Mais non, je n'ai pas mal à la gorge!

—Avez-vous chaud?

—Mais non, je n'ai pas chaud!

—Avez-vous froid?

—Mais non, je n'ai pas froid!
répond Michel.

—Je ne comprend pas! dit le pharmacien.

Il remet ses lunettes.

Il regarde Henri et Michel.

—Je ne comprend pas!

Vous n'avez pas de fièvre;

vous n'avez pas mal à la gorge;

vous n'avez pas chaud;

vous n'avez pas froid....

Alors, pourquoi donc désirez-vous
des pilules?

—Eh bien, dit Michel, c'est très simple!
Je désire des pilules pour ma tante....

Elle a mal à la tête!

VOCABULAIRE

il **a**   has; he has
elle **a**   she has
   à   to; at
   à quoi ça sert?   what is
     that used for?
   j'adore   I adore
   j'ai   I have
   j'ai chaud   I am hot
   j'ai faim   I am hungry
   j'ai froid   I am cold
   aider   to help
   j'aime   I like
ils **aiment**   like; they like
   aimez-vous   do you like
vous **allez**   go; you go
   allez-vous   are you going
   alors   well then
   ami (m.); **amie** (f.)
     friend
   assiette (f.)   plate
vous **attendez**   wait; you wait
   aujourd'hui   today
   au revoir   good-bye
   aussi   also; too
   autour   around
   autre   other; else
   autre chose   something
     else
   avec   with
vous **avez faim**   you are
     hungry
vous **avez soif**   you are thirsty
   avez-vous   have you

avez-vous chaud? are you
   hot?
avez-vous froid?   are
   you cold?

beau (m.); **belle** (f.)
   beautiful; fine
beaucoup   much; many
bête (f.)   beast; animal
bien sûr!   of course!
blanc (m.); **blanche** (f.)
   white
bol (m.)   bowl
bonjour!   goodday;
   hello
bon(m.); **bonne** (f.)
   good
brave   gallant

ça (cela)   that
café (m.)   coffee
campagne (f.)   country
canard (m.)   duck
ce   that; this
ceci   this
cela   that
c'est   it is
chaque   each
chat (m.)   cat
chaud (m.); **chaude** (f.)
   hot (see *ai chaud*; *avez-vous chaud*)

il **cherche**   looks for; he
   looks for
chercher   to look for; to
   get
cheval (m.)   horse
chevaux (pl.)   horses
chez   at the home of
chez lui   his home
chien (m.)   dog
chose (f.)   thing (see:
   autre chose)
comme   like; as
il **commence**   begins; he
   begins
commençons!   let's
   begin!
je **comprends**
   I understand
contentement
   contentment
côté (m.)   side
cou (m.)   neck
couper   to cut
courageux (m.);
   courageuse (f.)
   brave
couteau (m.)   knife
crème (f.)   cream;
   pudding
crème au chocolat (f.)
   chocolate pudding
crémeux (m.); **crémeuse**
   (f.)   creamy
il **crie**   cries; he cries
cuillère (f.)   spoon
cuisine (f.)   kitchen

d'ailleurs   besides
dans   in
de   of
ils **déjeunent**   lunch; they
   lunch
déjeuner (m.)   lunch
il **demande**   asks; he asks
dépêchons-nous   let's
   hurry
des   of the (plural)
vous **désirez**   want; you want
désirez-vous   do you
   want
dessert (m.)   dessert
je **déteste**   I hate
vous **détestez**   hate; you hate
ils **dit**   says; he says
dit-il   says he
vous **dites**   say; you say
dix   ten
je **dois**   I must
dois-je   must I
donc   well then
donner   to give
doux (m.); **douce** (f.)
   gentle; soft
du   of the (m.)

eau (f.)   water
eh bien   now then
elle   she
elles   they (f.)
en   in
encore   again; still
en effet   in fact; indeed

enfin   at last
ensemble   together
ils **entrent**   enter; they enter
il **est**   is; he is
est-ce que   is it that
et   and
vous **êtes**   are; you are

faim (m.)   hunger (see:
   ai faim)
faire   to do; to make
il **faut**   it is necessary to
   (see: *il nous faut*)
ferme (f.)   farm
fièvre (f.)   fever
il **finit**   finishes; he finishes
fort (m.) ; **forte** (f.)
   strong
fourchette (f.)   fork
frais (m.) ; **fraîche** (f.)
   fresh
froid (m.) ; **froide** (f.)
   cold (see: *ai froid; avez-
   vous froid*)
fromage (m.)   cheese

garçon (m.)   boy
gentil (m.) ; **gentille** (f.)
   kind; nice
gorge (f.)   throat
grand (m.) ; **grande** (f.)
   big; tall

il **habite**   lives in; he
   lives in

ils **habitent**   live in; they
   live in
il   he
il nous faut   we need
ils   they (m.)
impossible   impossible
*j'***insiste**   I insist
inviter   to invite (see:
   m'inviter)
je   I
joli (m.) ; **jolie** (f.)
   pretty

la (f.)   the
lait (m.)   milk
lapin (m.)   rabbit
le (m.)   the
lent (m.) ; **lente** (f.)
   slow
lentement   slowly
les (plural)   the
lunettes (f. pl.)   glasses
   (eye)

ma (f.)   my
maintenant   now
mais   but
maison (f.)   house
mal   badly
mal à la gorge   sore
   throat
mal à la tete   headache
malade   sick
je **mange**   I eat
manger   to eat

61

il **marche**   walks; he walks
marcher   to walk
matières (f. pl.)
    contents; materials
matin (m.)   morning
merci!   thank you!
messieurs   sirs;
    gentlemen
il **met**   puts; he puts (see:
    se met)
vous **mettez**   put; you put
mettre   to put
m'inviter   to invite me
moi   me; to me
mon (m.)   my
monsieur   Mr.; sir
il **murmure**   murmurs; he
    murmurs

naturellement   naturally
nécessaire   necessary
ne ... pas   not
non   no
nous   we

offrir   to offer
omelette (f.)   omelet
on   one; they
ils **ont**   have; they have
orange (f.)   orange
il **ôte**   takes off; he takes off
où   where
oui   yes

pain (m.)   bread

pardon!   excuse me!
passez-moi   pass to me
pauvre   poor
petit (m.) **petite** (f.)
    little
peu   little; few (see:
    un peu de)
peut-être   perhaps
je **peux**   I can
pharmacie (f.)   drug
    store
pharmacien (m.)
    druggist
pilule (f.)   pill
poire (f.)   pear
pomme (f.)   apple
poule (f.)   hen;
    chicken
pour   for; in order to
pourquoi   why
il **pousse**   heaves; he
    heaves
pouvez-vous   can you
il **prend**   takes; he takes
vous **prenez**   take; you take
près   near

qu'avez-vous?   what is
    the matter with you?
que   what; which
qu'est-ce que   what is it
    that
**qu'est-ce que c'est que
    ça?**   what is that?;
    this?
qui   who

62

quoi what (see: *à quoi ça sert*)

il **regarde** looks at; he looks at

ils **regardent** look at; they look at

vous **regardez** look at; you look at

il **remet** puts back; he puts back

il **remplit** fills; he fills

il **rentre** returns; he returns, goes in

rentrer to return; to go in

il **répond** answers; he answers

il **retourne** returns; he returns

ronronner to purr

sa (f.) his; her; its

salade (f.) salad

ils **se lèvent** get up; they get up

il **se met** puts on; he puts on

il **se promènent** they take a walk

il **sert** serves; he serves (see: *à quoi ça sert*)

il **se sert** he helps himself; serves himself

servez-vous help yourself

serviette (f.) napkin

ses (pl.) his; her; its

seulement only

si if; yes! (in reply to negative question)

simple simple

six six

soif (f.) thirst (see: *avez soif*)

son (m.) his; her; its

ils **sont** are; they are

soucoupe (f.) saucer

soupir (m.) sigh

souris (f.) mouse

je **suis** I am

sur on

surtout above all

table (f.) table

table des matières table of contents

tante (f.) aunt

tard late

tasse (f.) cup

tête (f.) head

tiens! well!; my goodness!

timide shy

tortue (f.) turtle

tôt soon

tout (m.); **toute** (f.) all

très very

tristement sadly

trois three

trop too; too much

63

un (m.) ; **une** (f.)   one; a
un peu de   a little bit of

il **va**   goes; he goes
vache (f.)   cow
je **vais**   I am going
verre (m.)   glass
vert (m.) **verte** (f.)
    green

je **veux**   I want; I wish
ville (f.)   city
visite (f.)   visit
vite   quickly
voici   here is; here are
ils **vont**   go; they go
votre (sing.)   your
vous **voulez**   want; you want
voulez-vous   do you want
vous   you

64